Super Coco

Wil jij mijn vriendje zijn?

Geschreven door Dr. Jay en Julie Lipoff
Geïllustreerd door Ellisa DiRenzo

Voor meer informatie over Super Coco "Wil jij mijn vriendje zijn?" kun je Super Coco op Facebook, @supercocobook op Instagram en Twitter bezoeken. Om het boek te bestellen, bezoek je Amazon.com of stuur je via Facebook of Instant Messenger een berichtje naar Dr. Jay Lipoff. Voor speciale verzoeken kun je een berichtje sturen via drjchiro@hotmail.com.

ISBN-13: 978-0-9836147-5-3

Opgedragen aan

Dit boek is opgedragen aan onze jongens, Matthew en Lamden, die ons een doel in het leven geven en ons eraan herinneren dat er geen mooier geschenk is dan tijd met je gezin doorbrengen. We hopen dat de herinneringen die we koesteren hen eraan herinneren om altijd avontuurlijk te zijn, nieuwe dingen te leren, hun eigen schoonheid te waarderen terwijl ze ook hun technologie achterlaten en wat er ook gebeurt hun hart open te houden.

- Jay en Julie

Aan Eli en Anna, twee medelevende en moedige mensen die zonder klagen voor een jaar met Coco's kunstwerken op hun eettafel hebben geleefd.

- Ellisa

Dankwoord

Speciale dank aan onze familie en vrienden, die allemaal meehelpen om van het leven een spannend en leuk avontuur te maken.

- Jay and Julie

Voorwoord

Hoewel dit verhaal mischien als vergezocht kan worden ervaren, laat de natuur ons steeds weer zien dat er onwaarschijnlijke vriendschappen met dieren kunnen worden gevormd. Tijdens een vakantie met mijn gezin op Aruba zag mijn vrouw een zwarte haan en een duif samen tijd doorbrengen in de buurt van het grote, rode anker in Seroe Colorado. Elke dag keken we naar het paar omdat ze dicht bij het stalletje van een bewoner, die kokoswater verkocht, leken te verblijven. Op de zijkant van het stalletje stonden de woorden 'Super Coco'.

Die onwaarschijnlijke twee kregen namen en het verhaal was geboren. Julie en ik hebben Super Coco "Wil jij mijn vriendje zijn?" geschreven om kinderen eraan te herinneren dat er ook tegenspoed kan zijn en dat je daar dan mee moet leren omgaan, verschillen moet leren omarmen en altijd ruimte open moet laten voor het ontstaan van nieuwe vriendschappen.

Alle dieren in het verhaal zijn afkomstig uit Aruba, maar om hun identiteit te beschermen zijn hun namen veranderd. Zoals veel eilanden, kent ook Aruba het probleem van de zwerfhonden en -katten en hebben grotere dieren, die worden verjaagd of gewond zijn geraakt, een toevluchtsoord nodig. In feite zijn veel van de dieren, die in het boek worden beschreven echt, zoals bijvoorbeeld Cisco, de zwerfkat met zijn donkere kuif en staart. Hij hing 's nachtsrond bij ons hotel en was erg intimiderend, maar ook extreem hongerig. Dus een deel van de opbrengst van de verkoop van dit boek zal worden gedoneerd om een thuis voor de behoeftige dieren te helpen vinden en anderen te helpen voldoende te herstellen om weer zelfstandig te kunnen overleven. Misschien kunnen zij dan ook, net zoals Coco, over dit prachtige eiland trekken om nieuwe vriendschappen op te bouwen.

Super Coco

Wil jij mijn vriendje zijn?

Geschreven door Dr. Jay en Julie Lipoff

Geïllustreerd door Ellisa DiRenzo

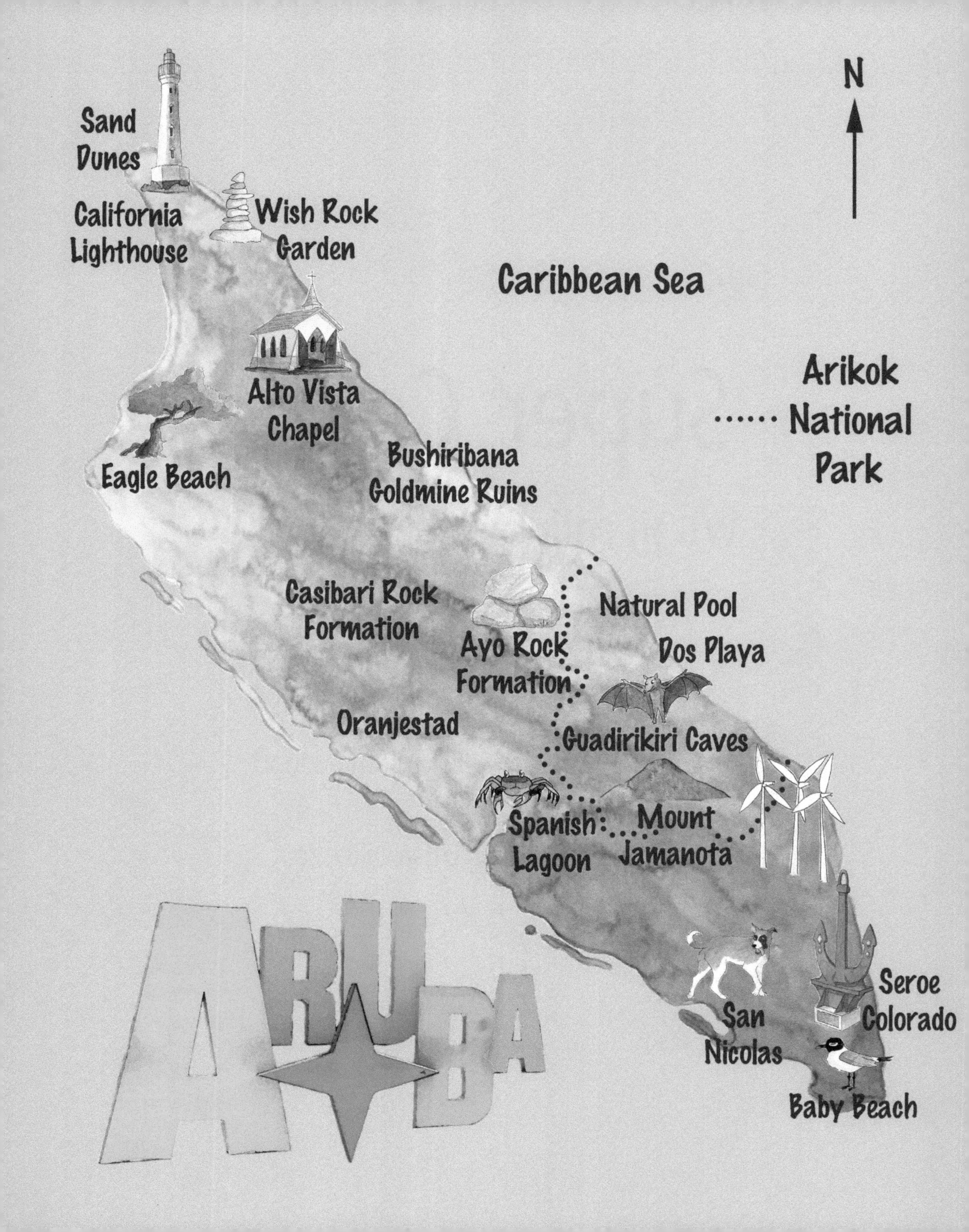

N

Sand Dunes

California Lighthouse

Wish Rock Garden

Caribbean Sea

Alto Vista Chapel

Arikok National Park

Eagle Beach

Bushiribana Goldmine Ruins

Casibari Rock Formation

Natural Pool

Ayo Rock Formation

Dos Playa

Oranjestad

Guadirikiri Caves

Spanish Lagoon

Mount Jamanota

ARUBA

Seroe Colorado

San Nicolas

Baby Beach

Op het zonnige eiland genaamd Aruba of Het gezelligste eiland voor de kust van Zuid-Amerika, woonde een mooie, maar eenzame, zwarte haan met de naam Coco.

Toen Coco klein was, raakte hij in een vreselijke storm verdwaald en toen is hij zijn familie kwijtgeraakt. Hij groeide alleen op in het Arikok National Park.

Hij genoot van het warme weer en van het landschap om hem heen, maar wat hij het liefst wilde, was teruggaan naar zijn familie en vriendjes.

HOME
sweet
HOME

Hij wist dat het leuk zou zijn om iemand te hebben om alle dingen mee te doen, die vrienden ook samen doen. Hij wist niet precies waar hij heen zou gaan, maar hij besloot om gewoon wat te gaan lopen en zo begon zijn avontuur.

Op een dag besloot hij om andere delen van het eiland te gaan verkennen en om vrienden te gaan maken. *"Hoe moeilijk kan dat zijn?"* dacht hij bij zichzelf.

Terwijl hij op weg was naar de grootste berg op het eiland, waren de eerste dieren die hij op zijn reis tegenkwam, wilde geiten. Het grootste deel van de kudde graasde langs doornige struiken en over grasvlaktes, maar de jonge geitjes oefenden om te springen en daagden elkaar uit. Coco heeft ze allemaal gevraagd *"Wil jij mijn vriendje zijn?"*

Mount Jamonota

George de geit kwam langs en antwoordde: *“Sorry, we spelen alleen maar met andere geitjes, maar toch veel succes.”* Dus ging Coco weer verder.

Nog steeds enthousiast om vrienden te maken, ging Coco verder op zijn expeditie en ontdekte al snel een paar blauwe kokodo hagedissen, die over keien kronkelden.

Eén hagedis had zijn staart verloren en sommigen waren gespikkeld en weer anderen hadden schitterende blauwe, groene en zelfs witte cirkels.

Coco stapte er beleefd op af en vroeg *"Wil jij mijn vriendje zijn?"*

De hagedissen Lenny en Laura kwamen dichterbij en antwoordden: *"Nou, jij hebt geen spikkels zoals wij en je bent niet erg kleurrijk. Hoe kunnen we dan bij elkaar passen?"*

De zon scheen helder en warm en er blies een windje, maar Coco bleef hoop houden en ging weer verder. Hij liep urenlang over een zandpad dat eruitzag alsof het in de richting van de wervelende dinosaurussen liep. Hij was een beetje bang, maar toen hij de top van de heuvel bereikte, sloeg hij af naar rechts.

San Nicolas

Toen hij een oud stadje binnenliep, zag hij enkele schitterende oranje en witte vogels, die hoog in een palmboom boven hem aan het nestelen waren. *"Hallo"* schreeuwde Coco.

"Kan ik je ergens mee helpen?" vroeg Tucker de felgekleurde tropische vogel.

"Mijn naam is Coco. Ik vroeg me af of jij mijn vriendje wilde zijn?" vroeg Coco.

"Ik zou niet weten hoe, aangezien ik veel mooier ben dan jij. Sorry Charlie" zei Tucker.

"Nou ik heet eigenlijk Coco" zei hij met enige teleurstelling in zijn stem.

Terwijl hij steeds meer kilometers liep, realiseerde hij zich dat de kust dichtbij moest zijn omdat hij het zout in de lucht kon proeven en de golven tegen de kust kon zien breken. Toen zag hij op een stuk gras een kudde ezels grazen.

Seroe Colorado

Hij vroeg hen dapper *"Is het goed als ik even stop en wat eet en word je dan mijn vriendje?"*

Desmond de ezel sloeg met zijn staart wat vliegen uit zijn ogen en grinnikte. *"Wij zijn zoveel groter dan dat jij bent. Je moet blijven bewegen zodat je niet wordt vertrapt."* Coco at snel wat en ging weer verder.

Coco was zeker niet van plan om zich door deze dieren te laten ontmoedigen. Hij bleef maar lopen en toen hij bij het strand kwam, zag hij een groepje zwartkopige meeuwen rusten terwijl ze met hun kop in de wind stonden.

"Hoe gaat het?" zei hij. Er kwam geen antwoord. Coco herhaalde zichzelf *"Ik zei, hoe gaat het?"*

Serena de zeemeeuw tjilpte, *"Nou, ik sliep."* "

Het spijt me," zei Coco *"Ik was gewoon benieuwd,"* hij aarzelde en toen zei hij, *"Wil jij mijn vriendje zijn?"*

"Je kunt niet eens vliegen," antwoordde Serena abrupt. *"Je zou ons nooit kunnen bijhouden."*

Het zand, de zon en de hitte begonnen voor Coco hun tol te eisen, dus besloot hij om van het strand weg te gaan. Na een tijdje lopen, zag hij een lagune en hij besloot om even in het water te poedelen om wat af te koelen.

Toen zag hij enkele landkrabben zijwaarts langs de rand van de lagune lopen.

Terwijl hij voorzichtig dichterbij kwam, hoorde hij Carlos de krab schreeuwen, *"Ami no ta papia puítu"* terwijl hij met zijn klauwen van links naar rechts in de lucht zwaaide. *"Mijn naam is Coco en ik vroeg me af of jij mijn vriendje wil zijn?"* vroeg hij.

Carlos had een luide stem en zei in gebroken Nederlands, *"Ik spreek geen kippentaal."* Coco dacht dat communiceren door te lachen en te glimlachen wel voldoende was, maar respecteerde de woorden van Carlos en vervolgde zijn weg.

Ondertussen ging de zon langzaam onder en de lederzeeschildpadden kwamen uit de zee om aan de kust te nestelen. Coco vond de schildpadden traag en groot lijken.

"Juffrouw heb je even" en ze stopte even en toen vroeg Coco schuchter *"Wil je mijn vriendje zijn?"*

Eagle Beach

Tiana de schildpad begon net in de buurt van een Divi Divi-boom haar eieren in het zand te leggen toen ze antwoordde, *"Zoon, je kunt niet eens zwemmen en je bent zo jong, schat. Je moet iemand zoeken, die ook graag dingen doet die jij graag doet."*

Coco wenste dat hij zo'n vriendje kon vinden. Terwijl een paar baby schildpadjes uit de eieren kwamen en zich een weg naar de zee baanden, zwaaide hij hen vaarwel en verliet het strand om weer naar huis te gaan.

Dit was niet de manier waarop hij een vriendje zou kunnen vinden. Hij besloot om ermee te stoppen en in een nabijgelegen grot wat te gaan rusten. Binnen in de grot waren veel fruitvleermuizen, die net wakker werden.

Coco keek op en vroeg, *"Wil je mijn vriendje zijn? We zouden dan nu kunnen gaan slapen en morgen plezier kunnen gaan maken!"*

Benny de vleermuis zei, *"Als je niet de hele nacht, net zoals wij, wakker kunt blijven, kunnen we elkaar ook nooit zien. Je mag nu best even blijven, maar probeer morgenochtend in de stad te gaan zoeken. Misschien heb je daar wat meer geluk."*

Coco stemde toe en bedankte hem voor zijn vriendelijkheid.

De volgende dag vertrok Coco weer opnieuw enthousiast naar een stad waar hij de vorige dag ook al was geweest. Hij zag een groepje zwerfhonden naar de mensen lopen en zich door het verkeer heen bewegen. Hij liep naar hen toe en zei, *"Hallo"* tegen hen.

Oranjestad

Een Arubaanse Cunucu-hond reageerde, *"Hee." "Wil je mijn vriendje zijn? We zouden samen iets leuks kunnen gaan doen."* zei Coco.

"Wat hebben wij daar nu aan?" zei Derrick. *"Waar denk je dan zoal aan?"* vroeg Dana. *"Een balletje trappen? Naar de sterren staren? Iets ontdekken?"* stelde Coco voor.

"Nee, bedankt. Wij doen dingen met vier poten, maar dat begrijp jij toch niet," antwoordden ze allebei.

Kilometerslang zocht Coco naar een vriendelijk gezicht. Toen hij een klein gebouw op het eiland naderde, werd hij al snel omringd door verschillende verwilderde katten.

Cisco was een beetje bang en een ongebruikelijk uitziende kat met een donkere kuif en staart. Hij liep op hem af. Hij keek naar Coco en vroeg, *"Wat doe jij in deze buurt, kip?"*

Alto Vista Chapel

Nerveus zei Coco dat hij nieuwe vrienden probeerde te maken en toen vroeg hij moedig, *"Wil je mijn vriendje zijn?"*

"Wij klimmen in bomen en sluipen 's nachts rond. Ik denk niet dat dat echt iets voor jou is," siste Cisco terug. Coco nam zijn advies ter harte en ging snel verder.

Terwijl Coco wegliep, zag hij in de verte een naaktoog duif die helemaal alleen in de buurt van de kust was. Hij naderde voorzichtig en stak zijn vleugel vriendelijk uit. *"Hallo. Mijn naam is Coco. Hoe gaat het met je?"* vroeg hij.

"Nu wel wat beter en dat komt door jou. Mijn naam is Patches en ik vind het leuk om je te ontmoeten," zei ze.

"Ik probeer deze stenen op te stapelen en bij elke steen een wens te doen, maar met deze wind kan ik zeker wel wat hulp gebruiken. Wil jij me helpen?" vroeg ze verlegen.

"Ja, natuurlijk!" flapte Coco er enthousiast uit.

Patches vertelde Coco dat ze was geboren met een beschadigde vleugel en dat een paar anderen duifen haar hadden gepest omdat ze er anders uitzag. Dit maakte haar erg verdrietig, dus was ze alleen vertrokken.

Casibari Rock Formation, Natural Pool, Bushiribana Goldmine Ruins

Coco en Patches leken het echt goed met elkaar te kunnen vinden. Ze brachten hun dagen samen door en deden veel leuke dingen.

Soms kon je ze verstoppertje zien spelen,

ze zien spetteren in de waterplassen en kastelen zien verkennen.

Soms gingen ze ook op het strand een balletje trappen,

sterren tellen bij de vuurtoren

en samen het eiland verkennen.

Die twee hadden zoveel plezier met het lachen en samen spelen dat het niet onopgemerkt bleef. Het begon ook de andere dieren op het eiland op te vallen.

Ze voelden zich rot omdat ze zich realiseerden dat ze de kans hadden gemist om vrienden met Coco te worden omdat ze alleen maar de verschillen zagen en niet de overeenkomsten. Stuk voor stuk begonnen de dieren met elkaar te praten en bedachten ze een plan waarvan ze hoopten dat ze het daarmee weer een beetje konden goedmaken. Met een beetje geluk kregen ze nog een kans om te spelen met de twee coolste vogels op het eiland.

Dus toen het moment daar was, vroegen ze allemaal aan Coco en Patches, *"Willen jullie ONZE vrienden worden?"*

Zonder twijfelen zeiden Coco en Patches daar geen nee tegen. Ze vonden het helemaal niet erg om iedereen, ongeacht hun verschillen, te accepteren. Sterker nog, ze hielden ervan om vrienden te hebben die er anders uitzagen en andere interessante gewoontes hebben. Het zorgde ervoor dat ze zich een groot, gemengd, gelukkig gezin voelden.

Het ging als een lopend vuurtje over het eiland wat voor een geweldige vriend Coco was en al snel stond hij bekend als Super Coco.

Er zijn al vele jaren verstreken maar als je weet waar je op het eiland moet kijken, zie je misschien Super Coco en Patches samen spelen omdat ze nog steeds de allerbeste vrienden zijn.

Het Einde

Na de voltooiing van "Super Coco – Wil je mijn vriendje zijn?" keerden we terug naar Aruba, in het bijzonder naar het Big Red Anchor in Seroe Colorado, waar het verhaal begon. We brachten een exemplaar van ons boek naar Alipio, de lokale verkoper die een kraampje heeft met koud, vers kokoswater en heerlijke desserts en die natuurlijk de woorden 'Super Coco' op de zijkant van de kraam heeft geschreven.

Hoewel we een beetje last hadden van een taalbarrière, was het duidelijk dat Alipio begreep dat onze dappere, kleine haan zo werd genoemd vanwege zijn kraampje. Hij gooide zijn handen in de lucht en schreeuwde enthousiast: *"SUPER COCO!"* Hier hebben we een echte en ware nieuwe vriend gevonden.

Op Aruba vind je een prachtige diversiteit aan mensen en culturen, eindeloze activiteiten en avonturen en natuurlijk kun je er volop nieuwe vriendschappen sluiten. Ga zelf naar "Het gezelligste eiland" en vergeet niet de tijd te nemen om te genieten van de charme van individuele verkopers en de ambachtslieden die sterk van het toerisme afhankelijk zijn. Ze zullen je ervaring verrijken op een manier die echt alles vertegenwoordigt wat Aruba zo prachtig uniek maakt.